さっそく読《よ》んでみよう!

カッパの世界《せかい》で
待《ま》ちうけていたものとは!?

カッパの三平
水泳大会
【新装版】水木しげるのおばけ学校⑦

登《とう》場《じょう》人《じん》物《ぶつ》
おじいさん
河《かわ》原《はら》三《さん》平《ぺい》
友《ゆう》人《じん》
たいそうの先《せん》生《せい》
先《せん》生《せい》
友《ゆう》人《じん》
校《こう》長《ちょう》先《せん》生《せい》

長老《ちょうろう》
長老《ちょうろう》のむすこ
酒《さけ》のみカッパ
さいばん長《ちょう》
飼育係《しいくがかり》
死神《しにがみ》

山奥《やまおく》といっても、いろいろありますが、ここは十年《ねん》にひとりかふたりくらいしか人《ひと》の通《とお》らない、それこそほんとうの山奥《やまおく》です。

そんな山奥《やまおく》に、一軒《けん》の家《いえ》がありました。河原三平《かわはらさんぺい》くんの家《いえ》です。三平《さんぺい》くんは、おじいさんとふたりだけで住《す》んでいます。

では、これから
三平《さんぺい》くんが体験《たいけん》する
ふしぎな世界《せかい》へ、
あなたをごあんない
いたしましょう。

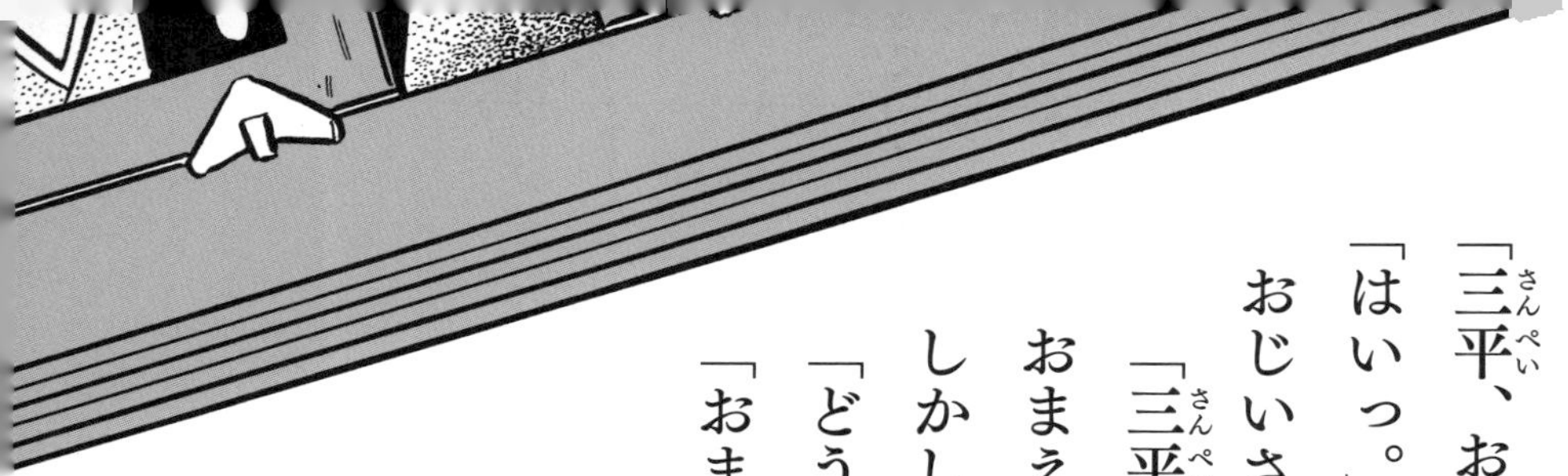

「三平《さんぺい》、おまえはきょうから、小学校《しょうがっこう》の一年生《ねんせい》として村《むら》の学校《がっこう》へ入《はい》るんだ。」

「はいっ。」

おじいさんに言《い》われて、三平《さんぺい》は元気《げんき》よくこたえます。

「三平《さんぺい》、これを見《み》てくれ。これがおまえの祖先様《そせんさま》だ。わが河原家《かわはらけ》はおまえで十三代目《だいめ》になる。みな、えらい方々《かたがた》だった。しかし、おまえのおとうさんで面目《めんぼく》まるつぶれになってしまった。」

「どうしてです？」

「おまえのおとうさんは、さぎ師《し》（人《ひと》をだまして金《かね》や品物《しなもの》をうばう人《ひと》）になって、家《いえ》を出《で》てしまったんだ。おかあさんも、そのあとを追《お》って出《で》たきり帰《かえ》らない。まったくバカバカしい話《はなし》だ。しかし、わしは、おまえだけは祖先様《そせんさま》にはずかしくないような人《ひと》になってくれると思《おも》っている。先生《せんせい》の言《い》うことをよくきいて、しっかり勉強《べんきょう》するんだぞ。」

三代目様

「行《い》ってきまあす。」
学校《がっこう》まで、歩《ある》いて四時間《じかん》も
かかるのですが、三平《さんぺい》は
くちぶえをふきながら、
たのしげに学校《がっこう》に
かよいました。

三平《さんぺい》が学校《がっこう》につくと、運動場《うんどうじょう》であそんでいた一年《ねん》生《せい》たちが、三平《さんぺい》を見《み》てさわぎだしました。

「あっ、カッパがきた。」

「カッパがきたぞ！」

「先生《せんせい》、たいへんです。カッパがきました。」

と、職員室《しょくいんしつ》へかけこむ生徒《せいと》もいます。

「みなさん、河原三平《かわはらさんぺい》くんはカッパではありません。人間《にんげん》の子《こ》どもです。」

先生《せんせい》は、みんなに三平《さんぺい》をしょうかいしました。

三平《さんぺい》は、それほどカッパによくにた子《こ》どもだったのです。

それからというもの、三平《さんぺい》は、
「カッパ、カッパ、へのカッパ。」
「カッパはカッパの学校《がっこう》へ行《い》け。
ハハハハ……。」
と、みんなにからかわれました。
「チェッ、みんなでぼくを
バカにする。
いったい、カッパって、
ほんとうにいるのかな。」
三平《さんぺい》はそう考《かんが》えながら、
遠《とお》い山道《やまみち》をとおって、
家《いえ》にかえりました。

「ただいま。」
「おう、めしでけとるぞ。」
おじいさんは三平《さんぺい》に
ごはんを入《い》れてくれました。
「いただきます。ときに、
おじいさん、
カッパというものは
ほんとにいるのでしょうか。」
「なに、カッパ？　そんなもの、
いるわけがないじゃないか。」
「いないのに、どうして
みんなは、ぼくのことを、

カッパカッパと
言《い》うのでしょう。」
「カッパは、むかし中国《ちゅうごく》から
きて九州《きゅうしゅう》に上陸《じょうりく》したと
つたえられているが、
だれも見《み》たものがない。
そこで絵《え》かきが、
想像《そうぞう》でこんなものだろうと
かいたものが、たくさん
残《のこ》っているんだ。それが、
おまえの顔《かお》ににている
というだけのことだ。」

「なあんだ。そんなことで、ぼくのことを、カッパだカッパだと言《い》うのか……。つまらないことだ。」

「魚《さかな》つりに行《い》ってきます。」

三平《さんぺい》は気《き》をとりなおして、魚《さかな》つりにでかけました。すずしい風《かぜ》が谷《たに》をわたり、三平《さんぺい》を大《おお》らかな気分《きぶん》にしてくれました。

あんまり、いい気《き》もちになったので、三平《さんぺい》はコクリコクリといねむりをはじめました。

ところが、二、三時間《じかん》もねていると、どうしたわけか、舟《ふね》が川上《かわかみ》の方《ほう》に流《なが》されてゆきます。

まるで、なにものかに、ひっぱられていくようです。

人気《ひとけ》のない上流《じょうりゅう》までくると、舟《ふね》の下《した》から、二匹《ひき》の水《みず》かきのある怪物《かいぶつ》が顔《かお》を出《だ》しました。

「ここらでいいだろう。」

二匹《ひき》の怪物《かいぶつ》は、舟《ふね》の上《うえ》にはいあがってきました。それは、人類史上《じんるいしじょう》、一度《ど》も人間《にんげん》の前《まえ》にすがたをあらわしたことのないカッパだったのです。

三平《さんぺい》はまだ、グーグーねむっています。

「こいつ、舟《ふね》にのって、人間《にんげん》の世界《せかい》へにげようとしたな。」

なんとカッパたちは三平《さんぺい》をカッパのなかまだと思《おも》いこんでいるのです。

カッパは三平《さんぺい》をなぐって、おこそうとしました。

「おい、おきろ。」

びっくりした三平《さんぺい》は、おどろいてとびおきました。

「なんだ、こいつ。いきなりなぐったりして……。
あっ、おまえら、カッパとちがうか？」

目《め》の前《まえ》にいる怪物《かいぶつ》が、さっき、おじいさんにきいたカッパにそっくりなので、三平《さんぺい》はたまげてしまいました。

「もちろんだ。さあ、帰《かえ》るんだ。」

「どこへ帰《かえ》るんだ。」

「わかったことよ。川底《かわぞこ》のおいらの国《くに》だ。」

「じょ、じょうだんじゃない。見《み》てくれ、
おまえらにはヘソがないが、ぼくには
ちゃんとついている。これが人間《にんげん》ってもんだ。」

「なんだ、そんなもの。」
カッパは、ペリッと、
三平《さんぺい》のヘソを
ひっぺがして
しまいました。

「あっ、きさまら、
人《ひと》のヘソをとったな。
つかまってたまるかい。」
三平《さんぺい》は川《かわ》に
とびこみました。
「おい、どこへゆくんだ。
にげられっこないぞ。」
「ああ、苦《くる》しい。」
三平《さんぺい》はにげきれずに、
川底《かわぞこ》で気《き》をうしなって
しまいました。

「ここは、いったいどこだ。」
「気《き》がついたらしいな。
ここはカッパの世界《せかい》の入口《いりぐち》だ。
これから、おれたちと
いっしょにくらすのだ。
ゲロゲロ。」

河《かっ》童《ぱ》の世《せ》界《かい》

「すごい！　地球上《ちきゅうじょう》には、こんな世界《せかい》がかくされていたのか。ぼくはカッパにているばっかりに、なんというめずらしいところを見《み》せてもらえるのだろう。」

三平《さんぺい》は感激《かんげき》して、カッパの世界《せかい》のふしぎなムードにひたっていました。

「おい、おまえたち。どこへ行《い》ってたんだ？」

酒《さけ》のみカッパが、声《こえ》をかけました。

「いえ、こいつが人間《にんげん》の服《ふく》を着《き》てにげようとしたのです。」

子《こ》どもカッパがこたえます。

「しかし、そいつはカッパか？」

「どう見《み》てもカッパですよ。」
「頭《あたま》に皿《さら》がないじゃないか。」
酒《さけ》のみカッパに言《い》われて、
子《こ》どもカッパが、三平《さんぺい》の頭《あたま》を
のぞきこみました。
「あっ！　ほんとだ！
皿《さら》がない！」
「おまえたち、人間《にんげん》の子《こ》どもを
ひっぱってきたんじゃねえのか。
だとしたら、こなごなに
たたき殺《ころ》してしまわなきゃあ
なんねえぞ。」

「たたき殺《ころ》す？」

子《こ》どもカッパも、あわてました。

「そうとも。それが何千年来《なんねんらい》のカッパ世界《せかい》のしきたりってもんじゃないか。」

三平《さんぺい》は、びっくりしてにげだしました。

カッパたちは、どんどん追《お》っかけてきます。
三平《さんぺい》は、必死《ひっし》に石《いし》から石《いし》へとにげますが、
石《いし》はだんだん高《たか》くなってきて、しまいには
とびこえることができなくなりました。
ついに、三平《さんぺい》は足《あし》をすべらせてしまいました。
「キャーッ!!」
ザブーン。

うきあがった三平《さんぺい》の全身《ぜんしん》から
血《ち》の気《け》がひいていきました。
おそろしいカッパの群《む》れに、
かこまれているではありませんか。
「もう、だめだ。ぼくを自由《じゆう》に
料理《りょうり》してくれ！」

ゲロゲロ
ゲロ
ゲロゲロ
ゲロゲロ
ゲロゲロ

三平《さんぺい》はつかまって、さいばんにかけられることになりました。

「そもそものまちがいのもとは、あさはかな子《こ》どもが、人間《にんげん》の子《こ》をカッパとまちがえて、ひっぱってきたことにある。」

「かわいそうだが、生《い》かしてかえすわけにはいかない。料理《りょうり》してしまえ。」

「だが、せっかく人間《にんげん》の子《こ》がつかまったんだ。」

「そうだ。百年《ねん》に一度《ど》、あるかなしかのことだ。」

「しばらく飼《か》ってみたらどうだろう。」

というわけで、三平《さんぺい》は動物《どうぶつ》として飼《か》われることになりました。

「えらいことになったもんだなあ。」

三平《さんぺい》がひかんしていると、

「見《み》てごらん。あれが、地上《ちじょう》に住《す》んでいる人間《にんげん》という下等《かとう》な動物《どうぶつ》よ。」

と、カッパたちが見物《けんぶつ》にきます。

「おじいさん、いまごろ心配《しんぱい》しているだろうなあ。」

三平《さんぺい》は、まるで動物園《どうぶつえん》のパンダになったような気分《きぶん》でした。

三平《さんぺい》がふてくされて、ねていると、

「おい。」

と、棒《ぼう》でつつくものがいます。

「だれだ。」

ふりむくと、メガネをかけたカッパが立《た》っていました。

「おれは、おまえの飼育係《しいくがかり》だ。おまえ、まだキュウリを食《た》べていないじゃないか。」

三平《さんぺい》の食事《しょくじ》は、キュウリばかりなのです。

「キュウリばかり、食《た》べてられるかい！」

「じゃあおまえ、いままでキュウリ以上《いじょう》にうまいものを食《た》べていたのか。」

カッパにとって、キュウリは最高《さいこう》のごちそうだったので、
飼育係《しいくがかり》はおどろきました。

三平《さんぺい》は、「ここだ！」と思《おも》って、のべたてました。

「パンだとか、米《こめ》なんてものを食《た》べてたんだ。」

「なんだ。コメって……？」

「白《しろ》くて、小《こ》ツブで、とてもおいしいんだ。」

「ほほう、人間《にんげん》の世界《せかい》には、めずらしいものがあるんだなあ。」

「汽車《きしゃ》とか電車《でんしゃ》、飛行機《ひこうき》なんていうものもあって、空《そら》も飛《と》べるんだ。」

「ほほう。人間《にんげん》とは下等《かとう》なものだときいていたが、なかなかすすんどるじゃないか。」

「すすんでいるなんてもんじゃない。テレビなんてものもあって、なんでも見《み》ることができる。また電話《でんわ》というものもあって、モシモシと言《い》えば、どんなに遠《とお》くても話《はなし》ができるんだ。」

LED Z

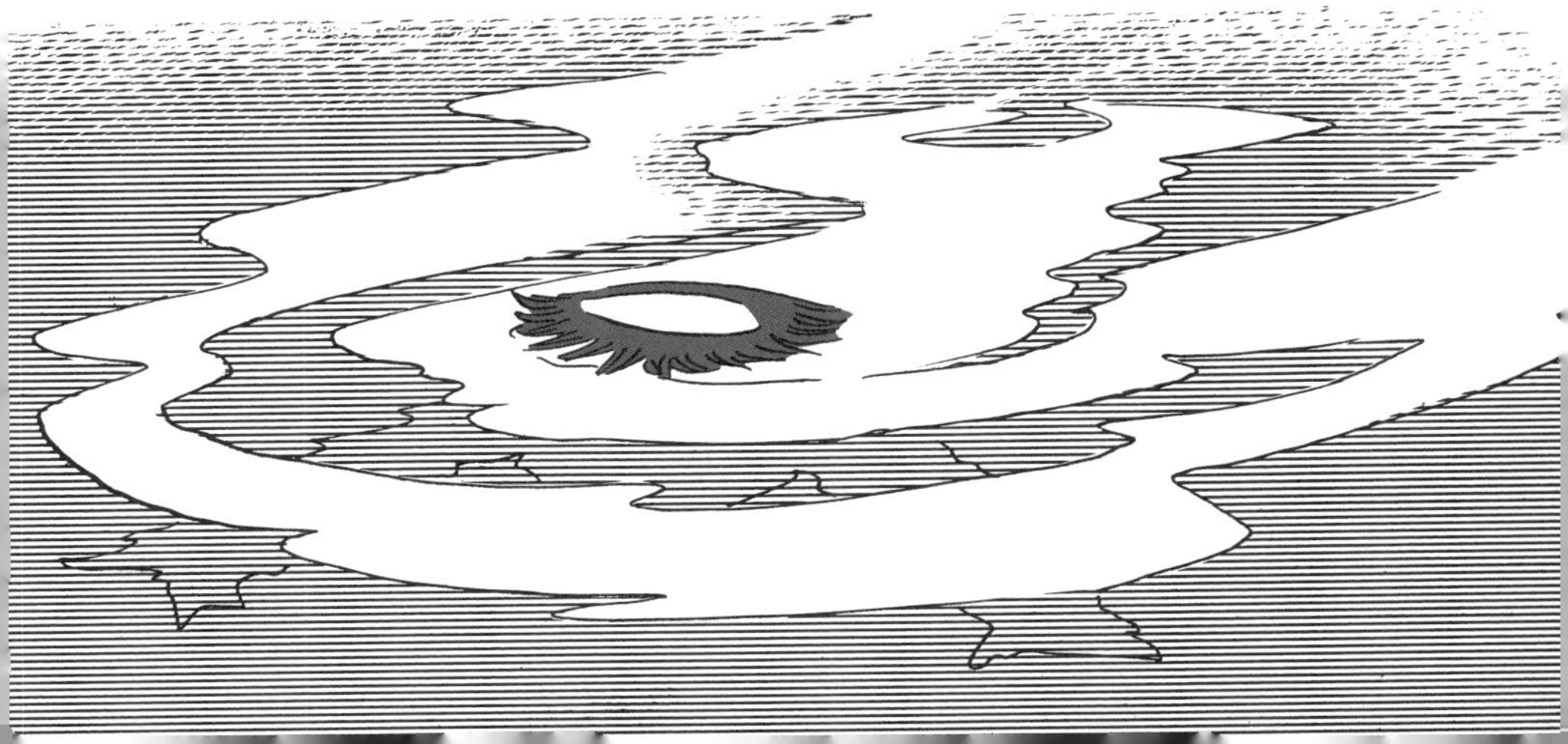

「ほう、それはききずてならんな。ちょっと長老《ちょうろう》にほうこくしてくる。」

飼育係《しいくがかり》は長老《ちょうろう》のところにほうこくにゆきました。

「長老《ちょうろう》ッ。」

「なんじゃ。」

「人間《にんげん》の子《こ》どもが、人間《にんげん》の世界《せかい》の話《はなし》をしていましたが、なんでもえらくすすんでいるらしいですよ。」

「バカッ。おまえ、人間《にんげん》にバカにされたんだ。われわれカッパが何《なん》千年《ねん》も平和《へいわ》にくらしているのは、人間《にんげん》に一度《ど》も発見《はっけん》されなかったからだ。ウカウカ人間《にんげん》の口車《くちぐるま》にのるのはキケンじゃぞ。」

長老《ちょうろう》と飼育係《しいくがかり》が話《はな》しているところへ、

「おい、飼育係《しいくがかり》。首《くび》のナワが切《き》れたぜ。」

と、三平《さんぺい》があらわれました。

「ふむ。にげださないで、わざわざ知《し》らせにくるなんて、なかなか正直者《しょうじきもの》ではないか。」

人《ひと》のよい長老《ちょうろう》は、いっぺんで三平《さんぺい》をすきになってしまいました。

「ところで三平《さんぺい》くん、おぬしたちの世界《せかい》は、とてもすすんでるそうじゃないか。」

長老《ちょうろう》にきかれて、三平《さんぺい》は、くわしく人間《にんげん》の世界《せかい》の話《はなし》をしました。

かんしんした長老《ちょうろう》は、人間《にんげん》の世界《せかい》に留学生《りゅうがくせい》を出《だ》して、人間《にんげん》の文明《ぶんめい》をとりいれようと言《い》いだしました。

飼育係《しいくがかり》は、
「留学生《りゅうがくせい》って、いったいだれを
ゆかせるのですか。」
と、けげんな顔《かお》です。
「わしのむすこを、ゆかせようと
思《おも》っている。」
長老《ちょうろう》は、むすこをよびよせました。
「おとうさん、留学《りゅうがく》だなんて、
ほんとですか!!」
むすこは、遠足《えんそく》にでもゆくつもりなのか、
大《おお》はしゃぎです。

「ほんとうだとも。くれぐれも、人間《にんげん》にカッパであることをさとられないようにして、人間《にんげん》の知識《ちしき》をたくさんぬすんでこい。」

こうして、長老《ちょうろう》のむすこは、三平《さんぺい》といっしょに人間《にんげん》の世界《せかい》へゆくことになり、三平《さんぺい》もはれて、地上《ちじょう》にもどれることになりました。

しかし、地上《ちじょう》にもどるのが、またたいへんでした。

長老《ちょうろう》のむすこに手《て》をひかれながら、三平《さんぺい》は、しこたま水《みず》をのんで、気《き》をうしなってしまいました。

「だいぶ、水《みず》をのんどるなあ。」

地上《ちじょう》につくと、カッパは三平《さんぺい》をさかさにして、水《みず》をはきださせました。

「気《き》がついたかい？」

「もう、だめだと思《おも》った……。」

三平《さんぺい》は、そうつぶやきながら、ボーッとあるきだしました。

「おい！　ぼくはどうなるのだ！」

カッパはおいていかれてはたいへん、と三平《さんぺい》を追《お》いかけました。

「ぼくを、たいせつにしてくれよ。」

カッパは、しんぱいそうに言《い》いました。

三平《さんぺい》にも、長老《ちょうろう》にたいする仁義《じんぎ》があります。

「よし。そんなかっこうではダメだ。ぼくの上着《うわぎ》を着《き》ろ。」

「こんなダサイの着《き》るのかい？」

「つべこべ言《い》うなよ。これからぼくの家《いえ》にゆくんだけど、家《いえ》にはおじいさんがいる。見《み》つかると、たたき殺《ころ》されるから、物置《ものおき》にかくれていろ。」

「いいとも。しかし、留学《りゅうがく》のことはどうなるんだ？」

カッパは、なんとなく不安《ふあん》です。

「ぼくとこうたいで学校《がっこう》へ行《い》くんだ。ぼくが物置《ものおき》にかくれる日《ひ》には、おまえが学校《がっこう》に行《い》く……。」

「すると、ぼくがかくれている日《ひ》は、おまえが学校《がっこう》に行《い》くわけだ。」

「ウン。まあ、そういうことだ。」

そんなことを言《い》いながら、
三平《さんぺい》たちが家《いえ》に近《ちか》づくと、
運《うん》のわるいことに、おじいさんは物置《ものおき》を
かたづけているさいちゅうでした。
「あっ、三平《さんぺい》！」
カッパが、おじいさんに
見《み》つかってしまいました。
三平《さんぺい》は、しまった、と思《おも》いましたが、
カッパがおじいさんに
つかまってしまっては、
出《で》ていくこともできません。
「おまえ、いったい、
どこへ行《い》ってたんだ。」

「すみません。」
頭《あたま》をさげたとたん、
カッパの頭《あたま》の皿《さら》が
見《み》えてしまいました。
「三平《さんぺい》、その頭《あたま》は
どうしたんだ！」
おじいさんは、
三平《さんぺい》がまた、
いたずらでも
したんだろうと思《おも》って、
お説教《せっきょう》をはじめました。

三平《さんぺい》は、たいへんなことになると思《おも》って、

「火事《かじ》だーっ。」

と、さわぎました。

おじいさんは、家《いえ》がもえては
たいへんと、あわてて外《そと》へ
とびだしました。
「火事《かじ》はどこだッ！」
このすきに、三平《さんぺい》はカッパを
つれだして、いっしょに
にげだしました。

「おい、カッパ。この先《さき》に人《ひと》のこないところがあるから、そこまでつっぱしれ！」

「ゼイゼイ。お、おれ、泳《およ》ぐのならとくいだけど、は、走《はし》るのはだめだよ。腹《はら》へって、走《はし》れないよー。」

「しょうのないやつだ。すいかとってくるからまってろ。」

三平《さんぺい》は、すいか畑《ばたけ》ですいかをかっぱらってきました。

とってきたすいかを食《た》べながら、三平《さんぺい》とカッパは、これからのことを話《はな》しあいました。

「おまえがカッパだということがわかれば、人間《にんげん》たちはただではおかないぜ。

いまだかつて空想《くうそう》の中《なか》でしか

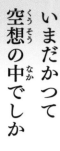

存在《そんざい》しなかった
カッパというものがいると
きいただけで、日本中《にほんじゅう》は
大《おお》さわぎになるのだ。
テレビや週刊誌《しゅうかんし》が、
ほうっておくまい。」
三平《さんぺい》は、カッパを
おどかしました。
「そうか、ウカウカして
いられないな。」
カッパも、遠足気分《えんそくきぶん》では、
いられなくなりました。

「そうだ。頭《あたま》の皿《さら》には
スミをぬっておこう。」
「せなかのこうらは
どうする？」
「こいつはこまる。
服《ふく》をぬがないことに
するさ。」
三平《さんぺい》とカッパが作戦《さくせん》
を立《た》てていると、
近《ちか》くの石《いし》がうごきだし、
地面《じめん》の中《なか》から、
へんな男《おとこ》が
あらわれました。

男《おとこ》は、ふたりがすいかを食《た》べているのを見《み》ると、そばによってきました。

「イヒヒ、おまえたち、うまそうなものを食《く》ってるな。」

三平《さんぺい》は思《おも》わず、すいかをかくしました。

しかし、男《おとこ》はよほど腹《はら》がへっていたと見《み》えて、三平《さんぺい》のすいかをとって食《た》べだしました。

せっかくのすいかをとられて、三平《さんぺい》はカンカンです。

「人《ひと》のすいかをとって食《た》べて、それでもおまえは人間《にんげん》か！」

「オレは人間《にんげん》じゃない。死神《しにがみ》だ。」

「死神《しにがみ》？」

「そう。死《し》の使《つか》いだよ。こんど死《し》ぬ予定《よてい》の人間《にんげん》をむかえにきたんだ。ヘッヘッヘ。」

三平《さんぺい》は、びっくりしました。
うわさにはきいていましたが、
死神《しにがみ》に出会《であ》ったのは、
はじめてでした。

「いったい、きょうは
だれを死《し》の世界《せかい》に
ひっぱりにきたんだい！」

「そんなこと、
むやみに言《い》えるかい。」

「すいかを食《た》べておいて
ずるいぞ。」

「おまえらが、だれにも
言《い》わないというなら、

おしえてやってもいい。」
死神《しにがみ》はおもむろに
手帳《てちょう》をとりだして
読《よ》みあげました。
「河原十兵衛《かわはらじゅうべえ》という
老人《ろうじん》だ。」
「ギョッ!!」
三平《さんぺい》は、こしが
ぬけそうでした。
河原十兵衛《かわはらじゅうべえ》というのは、
三平《さんぺい》のおじいさん
なのです。

死神《しにがみ》は、三平《さんぺい》にたずねました。
「おまえ、住所《じゅうしょ》知《し》ってたら、
あんないしてくれ。」
「し、死神《しにがみ》さん、
まあ、あわてないで……。」
「あわててるのは、
おまえじゃないか。」
三平《さんぺい》は、おじいさんが
ひっぱってゆかれては
こまると思《おも》って、死神《しにがみ》を
すいか小屋《ごや》につれていきました。

「まあ、まあ。ひときれ
いかがです。」
三平《さんぺい》は、すいかに
ねむりぐすりのこなをふりかけて、
死神《しにがみ》に食《た》べさせました。
死神《しにがみ》は、ねむりぐすり入《い》りの
すいかをたらふく食《た》べて、
すっかりねこんでしまいました。
「ああ、これでおじいさんも
しばらくは生《い》きられるぞ。」

「それで、ぼくの留学《りゅうがく》のことだが……。」

と、カッパは学校《がっこう》にゆきたがります。

「そんなに学校《がっこう》にゆきたいなら、あした、ぼくのかわりに学校《がっこう》にゆけ。」

三平《さんぺい》は、カッパを先《さき》に学校《がっこう》にゆかせることにしました。

「ランドセルとかいうものは？」

「おじいさんのところにあるから、これからおじいさんのところで三平《さんぺい》になりすまして、朝《あさ》になったら学校《がっこう》にゆくのだ。」

「よし、うまくしばいをするから、安心《あんしん》してくれ。」

カッパは、いよいよ人間世界《にんげんせかい》の知識《ちしき》がえられるかと思《おも》うと、わくわくしていました。

三平《さんぺい》の家《いえ》につくと、カッパはまず、おじいさんにあやまりました。

「あのう、おじいさん、いろいろと反省《はんせい》しております。」

おじいさんは、しょうのないやつだと言《い》いながらも、
すぐにゆるしてくれました。

「わかればそれでよいのだ。もうおそいから、ふとんをしいてねなさい。」

ところが、カッパはふとんなど、見《み》たこともきいたこともありません。

「フトン？」

「おしいれにあるではないか。」

「オシイレ？　これ、おすのですか？」

カッパは、バリバリとおしいれをやぶいてしまいました。

「バ、バカ者《もの》！　おしいれをおすやつがあるか。

おしいれはあけるものだ！」

おじいさん、びっくり！

ババババ

「おまえも、おとうさんやおかあさんがゆくえ不明《ふめい》だから、ノイローゼぎみになってるんじゃろ。」

おじいさんは、ためいきをつきました。

しかし、なおもカッパは、まくらをさわりながら、

「おじいさん、この棒《ぼう》のようなものはなんでしょうか。」

と、たずねます。

「バカ、まくらじゃないか。」

「あ、マクラ、わかりました。キュウリの一種《いっしゅ》でしょう。」

「おまえ、ちかごろ、どうかしとりゃあせんか。」

「おっと失礼《しつれい》、こしかけでしょう。」

「バカ者《もの》、頭《あたま》にあてがうものだ。」

あくる朝《あさ》。

「三平《さんぺい》、もう六時《じ》だぞ。」

「なんです、ロクジって。」

昨夜《さくや》からのトンチンカンが、まだつづいています。

「バカ、時間《じかん》のことだよ。

とぼけないで、はやく学校《がっこう》にゆかんんか。」

「えーっと、こっちに行《い》って……。」

カッパは、なにやら紙《かみ》きれを見《み》ています。

「なんだ、そりゃあ。」

「おじいさん、ご心配《しんぱい》なく。

学校《がっこう》にゆく地図《ちず》です。」

「まったく、おまえ、おかしいなあ。」

カッパが三平《さんぺい》になりすまして
学校《がっこう》にゆくと、友《とも》だちが、
「なんだ三平《さんぺい》、カバンなんか
もって……。きょうは水泳大会《すいえいたいかい》だから、
カバンはいらないんだよ。」
と言《い》います。
「なんだ、スイカタイカイって?」
「すいかじゃないよ、水泳《すいえい》だよ。」
「そうか。ハハハハハ。」
「なにがおかしいんだ??」

ピーッ。
そのとき、大《おお》きなフエの音《おと》が
ひびきました。
「あっ、集合《しゅうごう》のあいずだ。
いこうぜ、三平《さんぺい》！」

水泳大会《すいえいたいかい》の会場《かいじょう》は「てんぐ岩《いわ》」とよばれる大《おお》きなみずうみでした。

生徒《せいと》をあつめると、たいそうの先生《せんせい》が、

「大会出場希望者《たいかいしゅつじょうきぼうしゃ》は前《まえ》に出《で》なさい。」

と言《い》いました。

カッパは、なんのことかわからないまま、みんなといっしょに前《まえ》に出《で》ました。

「よーし、
これだけだな。
目標《もくひょう》てんぐ岩《いわ》一周《しゅう》、
がんばってこい。」

「よーい、ピーッ！」
せんしゅたちは、いっせいに
とびこみました。
一年生《ねんせい》の三平《さんぺい》もいっしょに
とびこんだので、校長先生《こうちょうせんせい》は
たいそうの先生《せんせい》に
ちゅういしました。

「小学校《しょうがっこう》の一年生《ねんせい》に、
てんぐ岩《いわ》まで泳《およ》がせるなんて、
ムチャクチャだよ、キミ。」

ザバーン

ところが、カッパにとっては、
水泳《すいえい》なんてお手《て》のもの。

かるく泳《およ》いだつもりなのに、ほかのせんしゅとの差《さ》が、ぐんぐんひらきます。

「わっ、す、すごいスピードだ！」

「あれは、いったいだれだ！」

「校長先生《こうちょうせんせい》、あれが、さっきの一年《ねん》生《せい》です！」

カッパは、人間《にんげん》には信《しん》じられないスピードで泳《およ》ぎます。

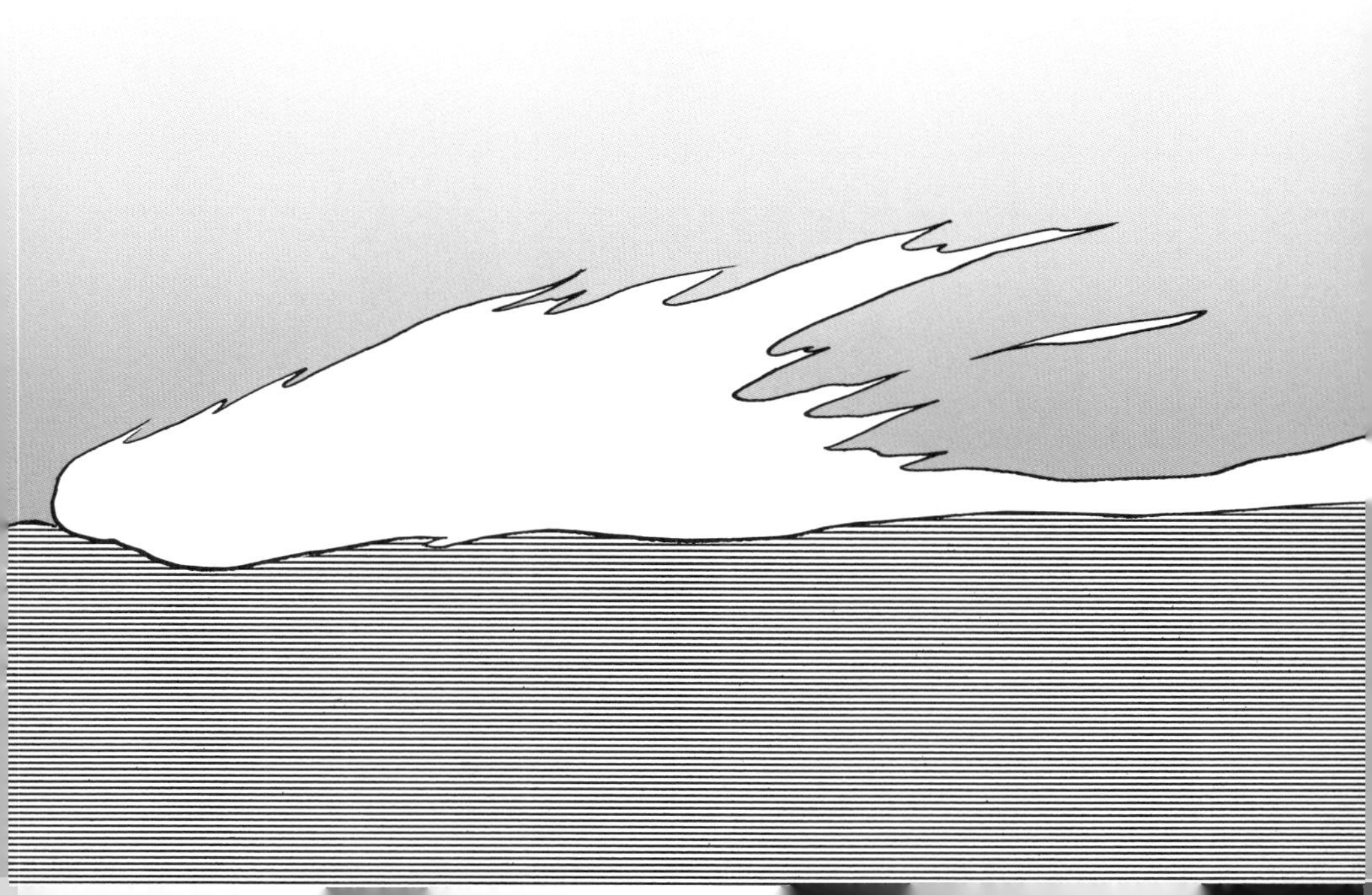

「す、すごい！　世界記録《せかいきろく》をやぶったぞ！」

「世界新記録《せかいしんきろく》だ！」

「あすの五ケ町村《かちょうそん》水泳大会《すいえいたいかい》の代表《だいひょう》せんしゅは、三平《さんぺい》にきめた！」

　校長先生《こうちょうせんせい》もみんなもコーフンして大声《おおごえ》でさわいでいます。

　たいそうの先生《せんせい》などは、おどろきのあまり、顔《かお》がひきつって声《こえ》も出《で》ないありさまでした。

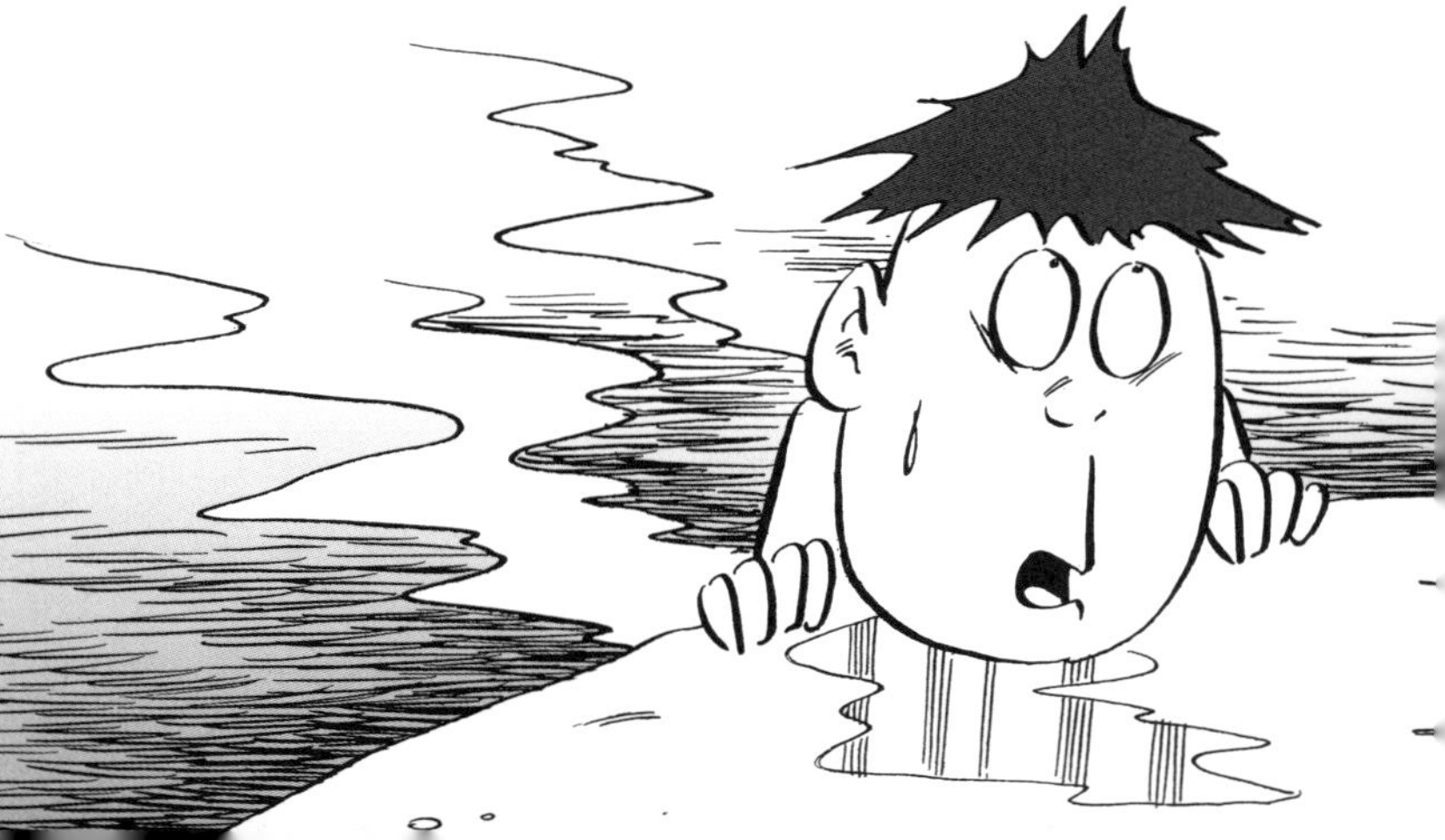

そのころ、おじいさんは、なにを思《おも》ったのか、すいか小屋《ごや》までやってきました。

「あっ、おじいさんだ。」

三平《さんぺい》は見《み》つかってはたいへんなので、物《もの》かげにかくれました。

ねむりぐすりのせいで、死神《しにがみ》はぐっすりねむりこけています。

なにも知《し》らないおじいさんは、こともあろうに死神《しにがみ》をおこそうとしました。

「おい、こら、こんなところでねるやつがあるか。おきろ、おきろ。」

死神《しにがみ》が目《め》をさましたら、おじいさんの命《いのち》はありません。三平《さんぺい》は思《おも》わず、とびだしました。

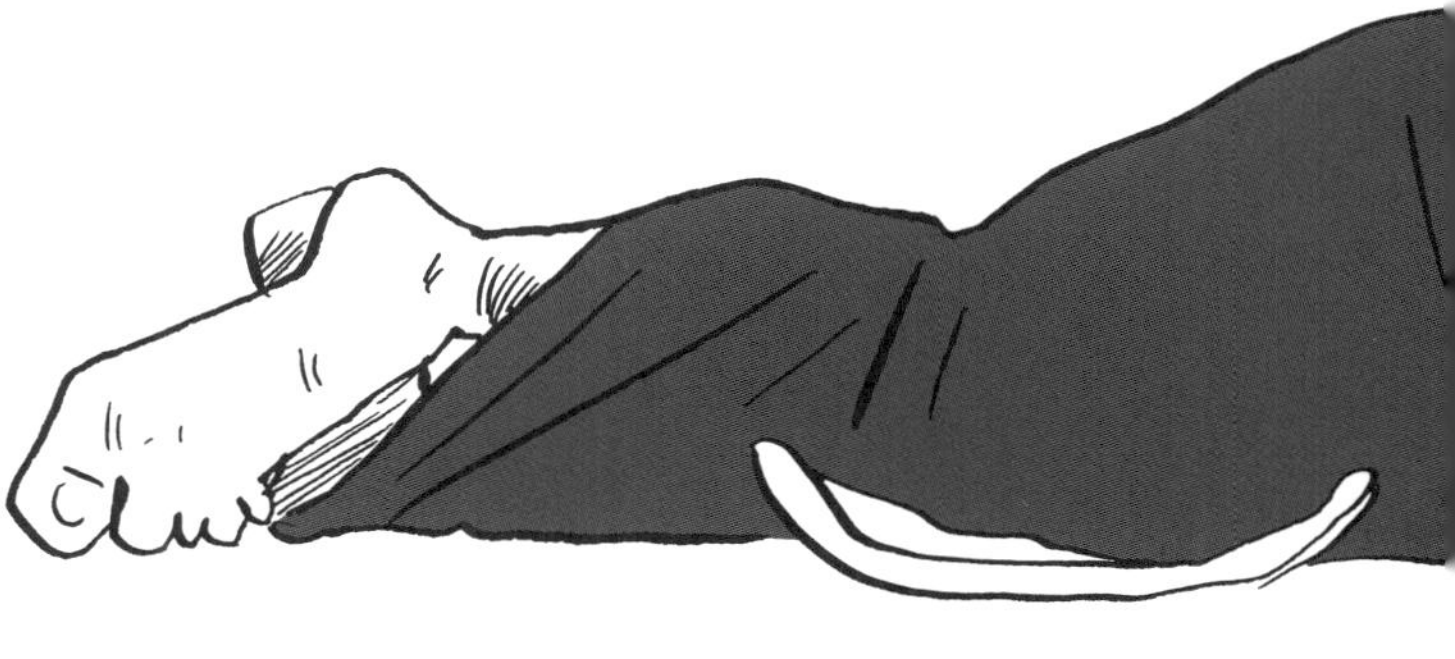

「おじいさん、その人《ひと》を
おこしてはいけません！」
「あっ、三平《さんぺい》、おまえ、
学校《がっこう》はどうしたんだ。」
「い、いま、学校《がっこう》から
帰《かえ》ったところです。」
三平《さんぺい》は、苦《くる》しいウソを
つきました。
「しかし、カバンがない
じゃないか。」
「あっ、カバン！　きょうから
このふくろにしたのです。」
三平《さんぺい》は、死神《しにがみ》のふくろを

ゆびさしました。

「かわったふくろだな。では、わしが家《いえ》にもって帰《かえ》っておくから、おまえはすいか小屋《ごや》のゴミをかたづけてから帰《かえ》りなさい。」

おじいさんは、死神《しにがみ》のふくろをもっていってしまいました。

運《うん》の悪《わる》いことはつづくもので、ねむりぐすりのきれた死神《しにがみ》は目《め》をさましました。

死神《しにがみ》は、あたりをキョロキョロ見《み》まわして、

「オレのふくろがない。」

と、さわぎだしました。

「三平《さんぺい》、おまえがそこにいて、知《し》らないということはないだろう。あのふくろの中《なか》には、地獄《じごく》へかえる定期券《ていきけん》や、たいせつなエンマ大王《だいおう》の身分証明書《みぶんしょうめいしょ》も入《はい》っていた。

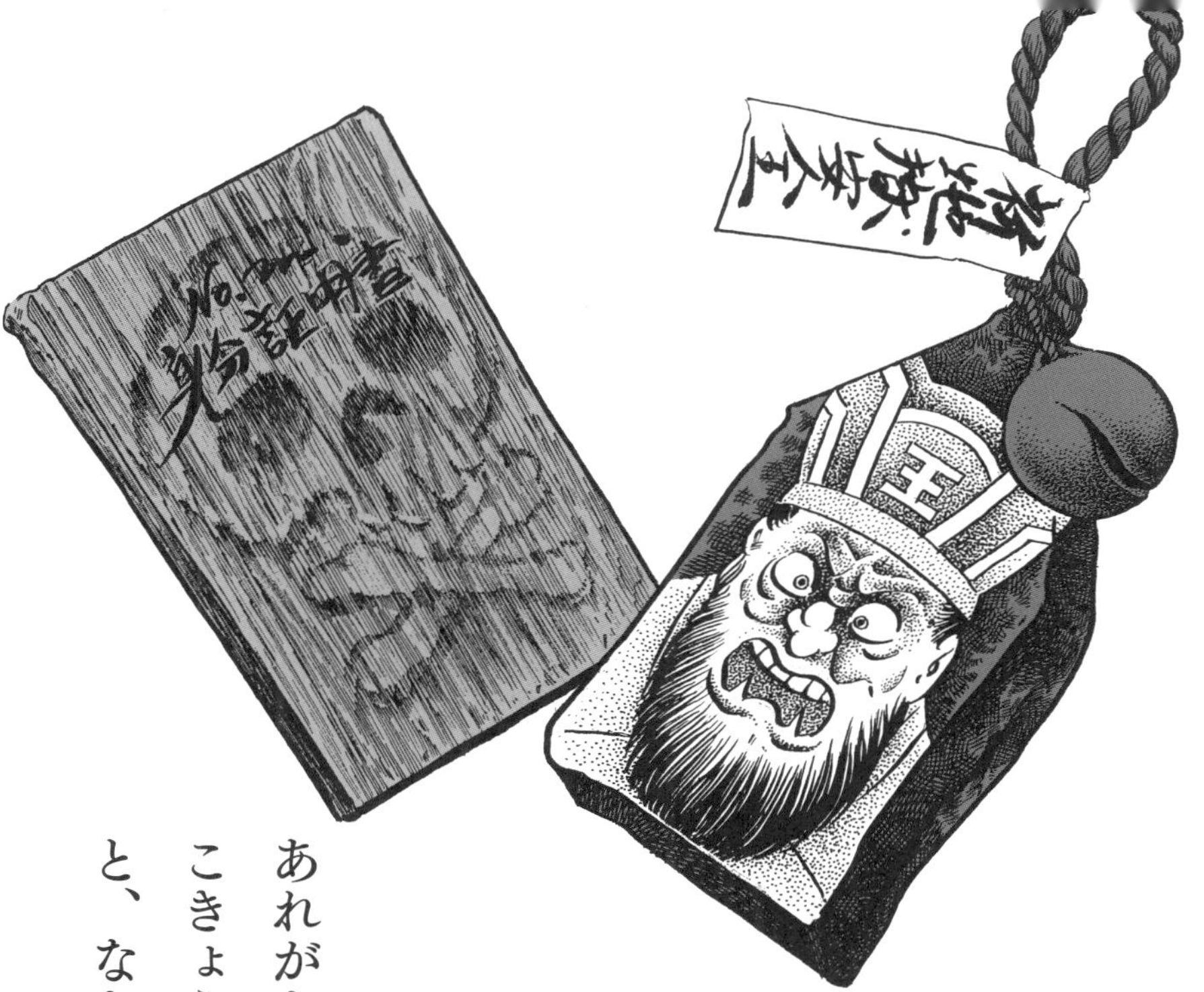

あれがないとふたたび、
こきょう（地獄《じごく》）にかえれない。」
と、なきだすしまつです。

あげくのはて、死神《しにがみ》は、

「三平《さんぺい》、とにかくおまえにも責任《せきにん》のあることだ。オレのふくろを二十四時間以内《じかんいない》にさがしてこい。もし、さがしてこなかったら、おまえを地獄《じごく》へつれてゆく。」

と、せんこくしました。

三平《さんぺい》は、あわてて家《いえ》にかえり、おじいさんにふくろのことをききました。

「ふくろかい。あの中《なか》からヘンなものが出《で》てきたから、きみが悪《わる》くなってふろをわかすのに使《つか》ってしまった。」

「おじいさん、すると、なかみもみんな焼《や》いてしまったのですか？」

三平《さんぺい》は、気《き》が気《き》ではありません。

「三平《さんぺい》、おまえ、なにかかくしているのか？」

「いいえ、べつに……。」

「それなら、はやくふろに入《はい》りなさい。」

三平《さんぺい》は、むりやりふろに入《い》れられ、
むりやりねかされました。
いっぽう、カッパは学校《がっこう》から帰《かえ》ると、
すいか小屋《ごや》で三平《さんぺい》をまっていました。
カッパとあえなかった三平《さんぺい》は、
学校《がっこう》でなにがあったのか、
カッパからきかないまま、
よく日《じつ》、学校《がっこう》にゆきました。

学校《がっこう》につくと、さっそく友《とも》だちがよってきて、

「三平《さんぺい》、きのうはほんとうにすごかったねえ。きょうの五ケ町村《かちょうそん》水泳大会《すいえいたいかい》でもがんばってくれよ。」

と、声《こえ》をかけます。

三平《さんぺい》は、とびあがって、おどろきました。カナヅチの三平《さんぺい》が代表《だいひょう》せんしゅになっていたのです。

ぜんしんが、ブルブルとふるえだしました。

いよいよ水泳大会《すいえいたいかい》のはじまりです。
各町村《かくちょうそん》の代表《だいひょう》がスタートにつきます。
三平《さんぺい》は、にげるならいまだ、と思《おも》い、
山《やま》の中《なか》に入《はい》ろうと走《はし》っていきました。
すると、やぶの中《なか》には、
死神《しにがみ》がまちかまえていて、
「三平《さんぺい》、かくごはできているだろうな。
二十四時間《じかん》まってたぜ。」
と、せまってきます。

おおぜいの人《ひと》の目《め》につくところに出《で》てはいけないというエンマ大王《だいおう》のおきてがあるので、死神《しにがみ》は三平《さんぺい》をおいかけることができません。三平《さんぺい》、万事《ばんじ》きゅうす!!

「どうせ、死《し》ぬんだ。死神《しにがみ》につかまるより、水《みず》の中《なか》で死《し》んだほうがましだ。」

三平《さんぺい》は、「ヨーイ、バン！」のあいずで、死《し》ぬ気《き》で水《みず》にとびこみました。

ゴボゴボと、みずうみの底深《そこふか》くしずんでいきます。

けんぶつ席《せき》では、みんな、

「おかしいな。五人《にん》とびこんだはずなのに、四人《にん》しか泳《およ》いでいない。」

と、目《め》を白黒《しろくろ》させています。

1

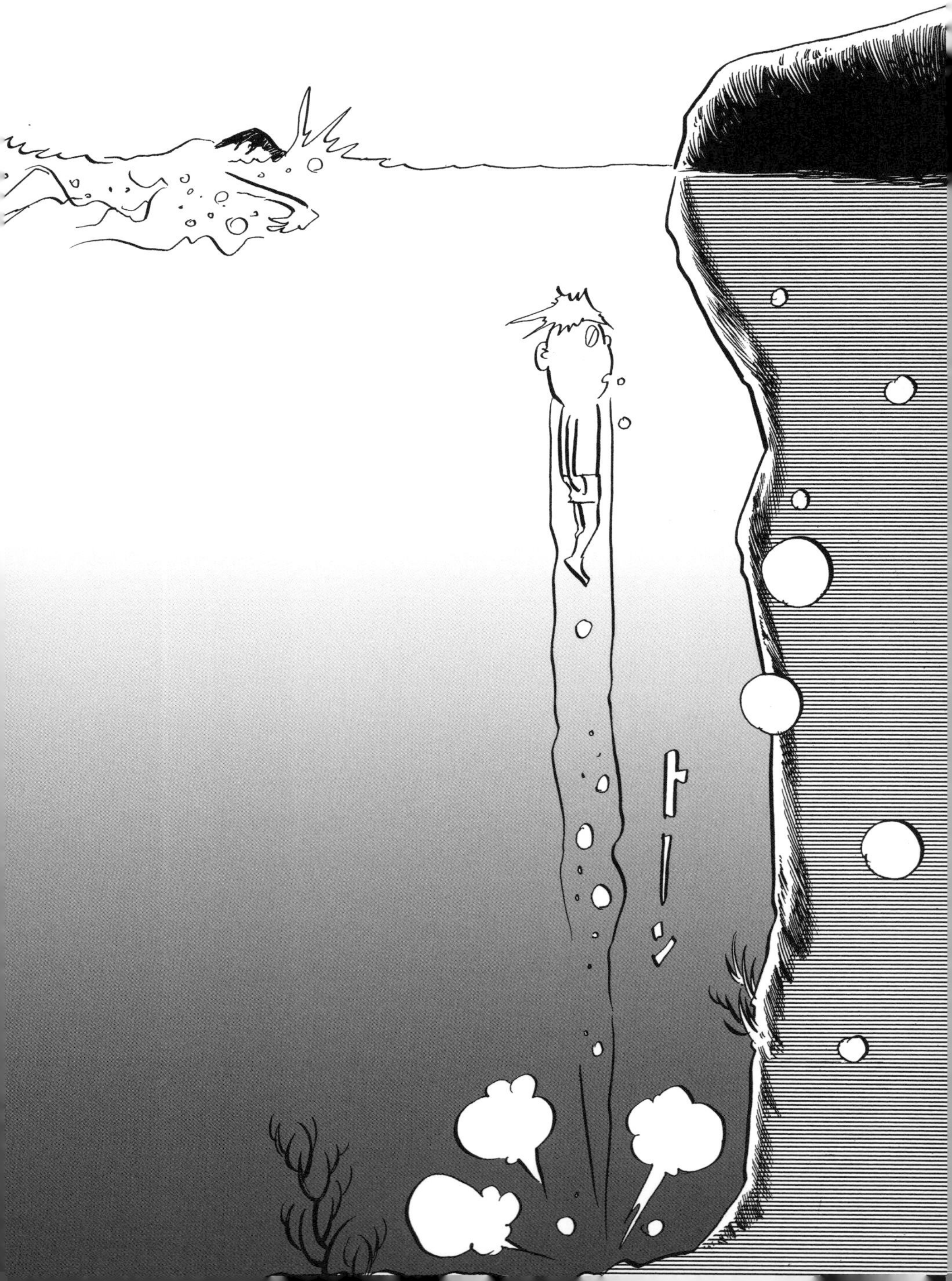
トーン

校長先生《こうちょうせんせい》も、

「いや、三平《さんぺい》くんは天才《てんさい》ですから、きっともぐっているんですよ。」

と言《い》いながら、内心《ないしん》はおだやかではありません。

「しかし、もう、みんなてんぐ岩《いわ》をまわって、帰《かえ》ってきますよ。」

まわりが、ざわざわしはじめました。

そのころ、みずうみの底《そこ》まで
しずんでいった三平《さんぺい》は、足《あし》でみずうみの底《そこ》を
ポーンとけりました。
「一着《ちゃく》は大山村《おおやまむら》のものだぞ!」
と、一着《ちゃく》がきまりかけたときです。

三平《さんぺい》が、プカーッと
浮《う》かびあがってきました。
「あっ、一着《ちゃく》は三平《さんぺい》だ！」
「どうなってるんだ！」
「さすがは三平《さんぺい》だ！」
やがて、みんな
そう立《だ》ちになり、
「三平《さんぺい》バンザーイ！」
と、さけびはじめました。
ついに三平《さんぺい》は、
優勝《ゆうしょう》して
しまったのです。

がんばれ！

優勝

いっぽう、地獄《じごく》への定期券《ていきけん》と身分証明書《みぶんしょうめいしょ》をなくした死神《しにがみ》は、三平《さんぺい》のかえりをねらおうと、山道《やまみち》にまちかまえていました。

そこへ、カッパが三平《さんぺい》をさがしに、すいか小屋《ごや》からノコノコ出《で》てきました。

アタマにきている死神《しにがみ》は、あわてふためいて、カッパを地獄《じごく》にひっぱっていってしまいました。

しかし、河原十兵衛《かわはらじゅうべえ》ではなく、カッパをつれてきたことが

わかると、カッパは地上《ちじょう》に
つれもどされ、死神《しにがみ》は
エンマ大王《だいおう》の証明書《しょうめいしょ》と定期券《ていきけん》を
なくしたつみで、ろうやに
入《い》れられてしまいました。

カッパは人間《にんげん》世界《せかい》でのできごとを
知《し》らせに、ひとまずカッパの世界《せかい》に
かえることになりました。
それからというもの、
三平《さんぺい》と
おじいさんは、
死神《しにがみ》に
なやまされる
こともなく
平和《へいわ》に
くらしました。

水木しげる

1922年、鳥取県境港市出身。同市の高等小学校を出て大阪にゆき、いろいろな職業につきながら、いろいろな学校を出たり入ったりする。戦争で左腕を失う。著書には『ゲゲゲの鬼太郎』『悪魔くん』『河童の三平』『日本妖怪大全』などがある。

※本書は、1982年にポプラ社より刊行された『水木しげるのおばけ学校⑦　カッパの三平　水泳大会』を再編集したものです。再編集にあたって、一部、現代の社会通念や人権意識からは不適切と思われる表現を修正しております。

カッパの三平　水泳大会

新装版　水木しげるのおばけ学校⑦

2024年9月　第1刷

著　者　　水木しげる
発行者　　加藤裕樹
発行所　　株式会社 ポプラ社
〒141-8210 東京都品川区西五反田3-5-8
JR目黒MARCビル12階
ホームページ　www.poplar.co.jp
印刷・製本　中央精版印刷株式会社
デザイン　野条友史（buku）
ロゴデザイン協力　BALCOLONY.

落丁・乱丁本はお取り替えいたします。ホームページ（www.poplar.co.jp）のお問い合わせ一覧よりご連絡ください。

N.D.C.913 ／ 111P ／ 22cm ISBN 978-4-591-18272-7
P4184007